Agnès Desarthe

Les grandes questions

Illustrations de Véronique Deiss

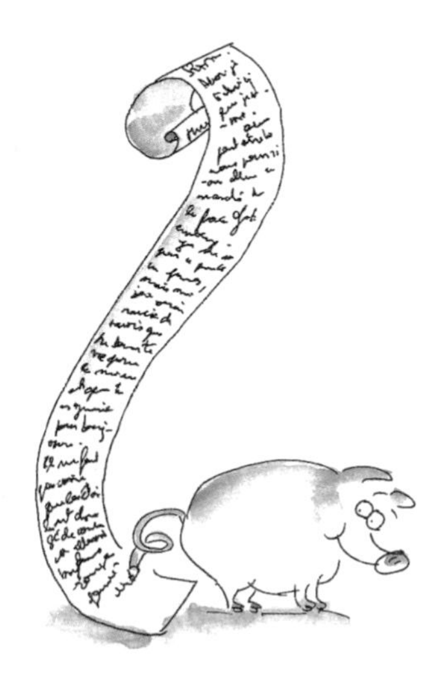

Mouche

l'école des loisirs

11, rue de Sèvres, Paris 6ᵉ

Du même auteur, à *l'école des loisirs*

Dans la collection Mouche :

Abo, le minable homme des neiges
Benjamin, héros solitaire
La femme du bouc émissaire
La fête des pères
Le roi Ferdinand

Loi numéro 49.956 du 16 juillet 1949 sur les publications destinées à la jeunesse : avril 1999
Dépôt légal : avril 1999
Imprimé en France par I.F.C. à Saint-Germain-du-Puy

Pour Jeanne F.
Pour Esther A.
Mes petites chéries.

La classe verte

Depuis la rentrée on nous parlait d'une classe verte, les parents, les maîtres, la directrice de l'école. Tout le monde était au courant.

J'ai eu le temps de m'imaginer cinquante-trois bidons de peinture différents ; je pensais qu'on allait repeindre les murs.

Pas du tout, je n'avais rien compris. C'est parce que je suis distraite. Léna tête en l'air, c'est comme ça que m'appelait ma maîtresse de CP. La classe verte, c'est la même que la classe normale, sauf qu'on n'habite plus à la maison. On prend le car et on se retrouve au bout du monde.

C'est la maîtresse qui l'a dit. Dès qu'on est descendus, elle s'est écriée: «C'est le bout du monde.» Le talon de sa chaussure s'est tordu sur le talus et elle a failli tomber dans le fossé.

Samira, qui avait passé tout le voyage à me dire: «Je crois que je vais vomir», m'a pincé très fort le bras pour que je ne rie pas. C'est ma meilleure amie. On se connaît depuis la crèche.

Samira est très intelligente. Personnellement, je pense qu'elle est surdouée. Elle sait un tas de choses sur le monde, sur les gens, sur la vie. Un jour, je lui ai demandé comment elle avait appris tout ça. Elle m'a répondu : « À la télé. »

Mes parents pensent qu'il n'y a que des bêtises à la télé, mais s'ils connaissaient mieux Samira, s'ils prenaient le temps de discuter avec elle, ils se rendraient compte qu'ils se trompent.

Il y a aussi les grands frères, dont je n'ai pas parlé, mais qui sont très importants. Un grand frère sait tout. Le mien est petit et débile ; il a mis un mois à apprendre la poule sur un mur. Si j'avais un grand frère, pas cinq, comme Samira, seulement un, je crois que je serais beaucoup plus avancée. Mais bon, on ne va pas refaire le monde, ça prendrait trop de temps et, en plus, c'est impossible.

Samira savait qu'une classe verte est

une espèce de colonie de vacances, sauf qu'on va à l'école le matin. Elle ne me l'a pas dit pour me faire une farce et aussi parce qu'elle admire mon imagination. L'histoire des bidons de peinture lui a beaucoup plu.

Nous sommes en CE1 et notre maîtresse s'appelle Mme Ravier. Elle est petite et met toujours des chaussures à talons. Elle a deux chouchous, Ismaël et Bertrand. Samira m'a expliqué que c'est parce qu'elle préfère les garçons. Je suis d'accord avec elle. Moi aussi je préfère les garçons. Ils courent vite et ne pleurent jamais.

Quand ma mère m'a fait au revoir en agitant la main à la fenêtre du car, je n'ai pas pleuré non plus. Je me suis dit cinq jours, ce n'est pas long. Il paraît que les CM1 partent trois semaines, mais c'est normal, ils ont neuf ans. À neuf ans, on n'a plus peur de rien.

En plus de la maîtresse, il y a Dora, la femme de service qui fait des clins d'œil à tout le monde, et la mère de Johanna. Elle a un double menton et parle avec une voix très aiguë. On dirait une poule, surtout qu'elle a un petit béret rouge qui ressemble à une crête. Elle fait exprès de ne pas s'asseoir à côté de sa fille. Elle dit qu'elle ne fera pas de favoritisme, ce qui signifie qu'elle grondera tous les enfants. Comme elle n'a pas eu le temps de retenir nos noms, elle dit : « Toi, le petit bonhomme avec le gilet

vert. » « Toi, la fillette en baskets rouges. » Johanna a honte, elle fait semblant de ne pas la connaître, mais c'est raté, tout le monde est au courant.

Nous dormons à la ferme, dans des lits en fer.

Samira m'a raconté qu'elle avait vu à la télé un reportage sur les asiles de

fous et qu'ils avaient les mêmes lits que nous.

– Et alors ? je lui ai demandé.

– Alors c'est pratique, parce que, quand ils sont vraiment trop fous, on peut les attacher avec des ceintures en cuirs pour qu'ils ne bougent pas.

Bonne idée. Je pense qu'on pourra attacher Louis qui est vraiment très fou et qui fait semblant de fumer des cigarettes en coinçant son crayon à papier entre les dents.

Le soir, on entend les vaches meugler, les cochons grogner, les poules caqueter. Toute la matinée on a eu vocabulaire. La maîtresse a dit :

– Les petits Parisiens vont apprendre à connaître la campagne. La campagne c'est plein de bruits. Les gens de la ville pensent que c'est silencieux. Ils ont tort. Le vent, les tracteurs, les animaux, tout est bruyant à la campagne.

Chacun son tour a imité une bête de la ferme. Lili a dit que les chiens faisaient ouah-ouah et Pedro a levé le doigt pour corriger.

– Les chiens, enfin, la plupart des chiens, font wouf-wouf!

C'est ce qu'il a dit et c'est la vérité. Pedro est le premier de la classe. Il a les cheveux noirs et raides, les yeux bleus et des taches de rousseur. Quand ma mère l'a vu pour la première fois, elle a dit: « C'est un crime d'être aussi beau. »

Avant de nous coucher, Samira et moi avons joué à notre jeu préféré qui s'appelle: le jeu des grandes questions. Chaque jour, on discute de sujets importants. Ce soir-là, nous avions plusieurs dossiers à traiter:

1/ Est-ce que c'est mieux d'être en classe verte avec sa mère?

Vu la tête de Johanna qui a été obligée de finir son assiette de tomates farcies pour donner l'exemple, la réponse est évidemment NON.

2/ Est-ce vraiment un crime d'être beau ?

– Oui, a dit Samira. Car on peut mourir d'amour.

– Comment ça arrive ? j'ai demandé.

– On a le cœur qui bat de plus en plus vite et, tout à coup, on meurt.

J'ai pensé à Pedro et j'ai demandé à Samira de mettre son oreille sur ma poitrine pour écouter mon cœur.

– J'entends rien.

– Tu es sûre ?

– Rien de rien. Donne-moi ta main, je vais prendre ton pouls.

Je lui ai dit que je n'avais jamais eu de poux parce que ma mère me lavait les cheveux avec un shampooing spécial. Samira m'a expliqué qu'on avait tous un pouls dans le poignet et qu'il faisait le même bruit que le cœur. J'ai trouvé ça très bizarre, mais je lui ai quand même tendu le bras.

Elle a posé deux doigts à l'endroit où les veines dessinent un Y, puis elle a secoué la tête.

– Pas de pouls, non plus.

Je lui ai demandé si ça voulait dire que j'étais déjà morte. Elle m'a dit qu'elle n'en était pas sûre-sûre à 100 % et que comme je pouvais parler et bouger je devais être encore en vie. Mais elle a ajouté d'une voix sinistre :

– Attention quand même. Ne

pense pas trop à Pedro. On ne sait jamais ce qui pourrait arriver.

Pour se changer les idées, on a décidé de répondre à une troisième grande question :

3/ Est-ce que le verbe aboyer est un bon verbe ?

– Meugler est mieux, a dit Samira, parce que, dans meugler, il y a meuh.

– C'est vrai, j'ai dit. Et dans caqueter, il y a cac, qui ressemble à coq.

Alors que j'allais m'endormir, j'ai repensé à Pedro, à cause du verbe aboyer, et je me suis mise à avoir très peur. Pour me réconforter j'ai posé ma main sous mon cou, là où, d'habitude, je mets ma poupée, et, contre mon pouce, j'ai senti quelque chose qui bougeait, quelque chose qui vibrait, qui faisait pou-poum, pou-poum.

– Samira ! Samira ! J'ai un pou dans la gorge.

– Ouf! a-t-elle dit. Tu es sauvée !

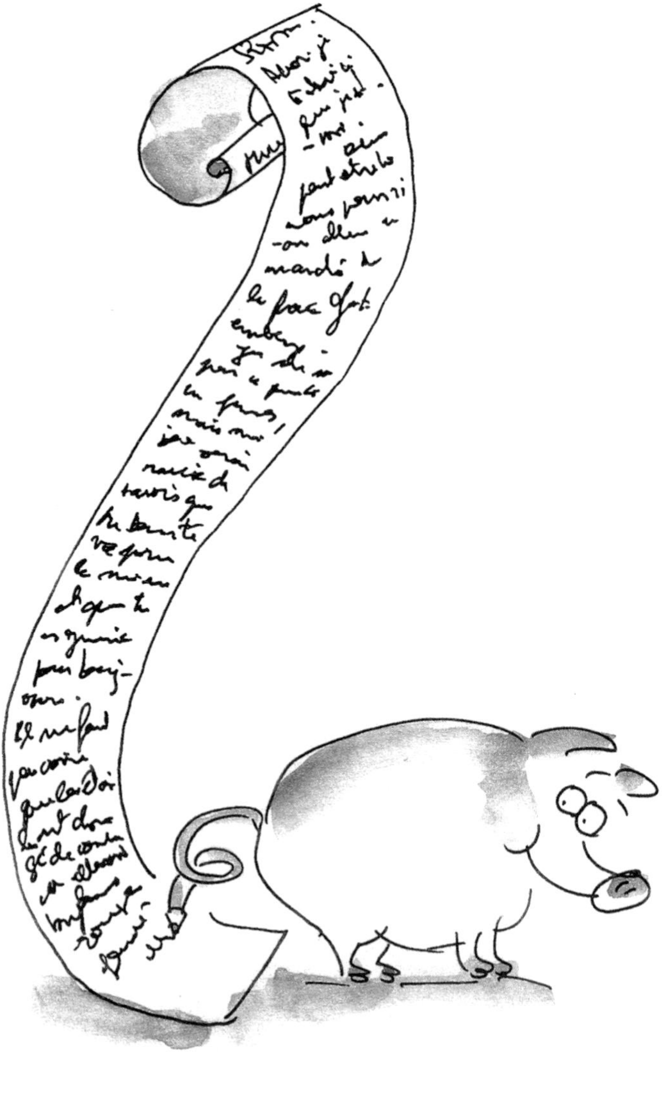

Merci pour la lettre

À la maison, je ne prends jamais de petit déjeuner. Je fais la grimace quand maman m'apporte mon bol de chocolat. C'est surtout pour l'embêter que je fais ça, parce que, en vérité, je mange le matin, mais en cachette. Je prends cinq mini-quatre-quarts dans la poche de mon manteau et je les avale pendant la petite récré juste avant d'entrer en classe.

Je sais que c'est important de bien se nourrir. Blanche-Neige est joufflue, il faut donc manger énormément pour rester comme ça et être aussi belle qu'elle.

Assise à la grande table à côté de Samira, je dévore des tartines de confiture et nous décidons que c'est la meilleure chose que nous ayons jamais mangée.

– Avec les boulettes, précise Samira.

– Tu es vraiment sûre de ce que tu dis ? je lui demande. Les boulettes, ça pue quand ça cuit.

– C'est vrai, dit Samira, mais justement, c'est pour ça que c'est bon.

Je vous avais prévenus que Samira était surdouée.

À la fin du petit déjeuner, Mme Ravier est montée sur une chaise pour que tout le monde la voie. Ça plus les talons, elle était carrément grande. Elle a mis ses mains autour de sa bouche et elle a crié :

– Il y a des petits veinards qui ont déjà du courrier !

On a tous rebondi sur nos chaises d'excitation et une enveloppe a atterri dans mon assiette. C'était une lettre de ma mère. Je l'ai tout de suite su parce que ma mère écrit comme un cochon. Des tas de traits pointus qui ne ressemblent à rien dans l'alphabet. J'ai levé le doigt pour que la maîtresse m'aide à déchiffrer les mots.

Mme Ravier m'a pris l'enveloppe, l'a ouverte et s'est mise à lire tout fort.

Mon petit bouchon,

tu sais que papa et moi nous t'aimons plus que tout au monde.

Je n'en croyais pas mes oreilles. J'ai rentré la tête dans les épaules. J'aurais voulu rétrécir, rétrécir, rétrécir, jusqu'à disparaître. Tout à coup, il n'y avait plus un bruit dans la salle à manger. Les enfants s'étaient arrêtés de parler ; comme si c'était leur lettre que Mme Ravier lisait. Je me suis mise à rougir et à avoir très chaud. Samira m'a serré la main sous la table et m'a dit : « Le ridicule ne tue pas. » Mais je n'en étais pas si sûre, surtout quand j'ai entendu la suite :

Tu es notre petite lumière du matin et notre grand soleil du soir. N'oublie sur-

tout pas de mettre une écharpe dès que tu sors, même si tu n'as pas froid. Sois très sage avec ta maîtresse, parce qu'elle aime les enfants polis. Nous, les gros mots, ça ne nous dérange pas, mais tu sais qu'à l'école, c'est différent, alors fais bien attention. Mille bisous pour notre petit bouchon.

Ils étaient tous tordus de rire ; les élèves, la maîtresse, Dora (qui en a profité pour me faire un clin d'œil), et même le cuisinier. Il n'y avait que la mère de Johanna qui me regardait, la tête penchée, les larmes aux yeux.

– C'est parce qu'ils sont jaloux, m'a expliqué Samira.

– Tu crois ?

– C'est sûr et certain. Le problème, c'est que maintenant tout le monde va t'appeler mon petit bouchon. Même moi, je crois. Je ne vais pas pouvoir m'en empêcher.

J'ai haussé les épaules. De toute façon, c'est très mignon un petit bouchon. J'ai pensé à tous les surnoms que me donnent mes parents (Roudoudou en sucre, Canard boulou-boulou, Mimolette de midi) et j'ai trouvé que j'avais échappé au pire.

– Juste une fois, alors, ai-je dit à Samira.

– D'accord, mon petit bouchon.

– Ça y est. Tu l'as dit. C'est fini. Première et dernière fois.

Samira m'a suppliée avec ses yeux. Elle a fait son regard de chien perdu qui n'a rien à manger et pas de maître

et des puces qui lui grattent derrière les oreilles.

– Bon, très bien, ai-je accepté. Rien qu'une toute petite fois de plus.

– Merci, mon petit bouchon.

Samira a souri et j'ai su qu'elle ne recommencerait pas, parce que c'est ma meilleure amie et qu'elle tient toujours ses promesses.

J'ai jeté un regard secret à Pedro pour voir ce qu'il pensait, mais il avait la tête dans son bol.

En classe, on a fait du calcul. Additions et soustractions avec retenues. Le premier qui a trouvé le résultat lève la main et va l'écrire au tableau. Clément a levé le doigt mais c'est parce qu'il ne comprenait rien.

– Combien y a de colonnes des dizaines ?

Mme Ravier a poussé un gros soupir.

– Puisque c'est comme ça, a-t-elle dit, on va employer les grands moyens.

Elle est allée chercher des bouchons à la cuisine pour lui expliquer.

– C'est une vraie sadique, cette Mme Ravier, a dit Samira. Elle fait ça exprès pour se moquer de toi.

– Tu crois ? Peut-être que c'est de l'humour.

– Non, je te dis, elle n'aime pas les filles. Alors elle ne t'aime pas non plus. C'est une sadique, un point c'est tout.

J'ai demandé à Samira ce que ça

voulait dire et elle m'a promis que je le saurais ce soir.

J'étais si impatiente que je n'ai vu aucun champignon pendant la balade en forêt. On est partis après la sieste et on a marché deux heures dans les feuilles mortes. Tous les autres sont rentrés à la ferme avec des paniers pleins.

L'après-midi, on a sciences de la nature en extérieur. Ça veut dire qu'on ramasse des trucs qui traînent par terre et qu'on les regarde avec une loupe. Benjamin, qui a réussi à reconnaître un bolet de Satan, a eu un dix.

La mère de Johanna est devenue à moitié folle parce que sa fille s'est mise à sucer son pouce alors qu'elle avait touché une amanite tue-mouches. Elle a traité la maîtresse d'irresponsable et l'a menacée d'écrire une lettre au directeur de l'école.

– Tu crois qu'on va l'attacher à son lit ce soir, j'ai demandé à Samira.

– C'est la seule solution, a-t-elle répondu.

La maîtresse a éclaté de rire en disant que c'était une russule jolie légèrement grignotée par les limaces, que les amanites tue-mouches étaient beaucoup plus rares qu'on ne le pensait et qu'elle paierait des prunes au premier élève qui en trouverait une. Pour finir, elle a ajouté d'une voix très sévère :

– Je vous signale que je suis diplômée d'État en mycologie !

La mère de Johanna s'est mordu les lèvres, l'air très embêté.

Ce soir-là, nous avions un programme très chargé pour le jeu des grandes questions :

1/ Qu'est-ce que la mycologie ?

– Aucune idée, a dit Samira.

– Je crois que ça parle des champi-

gnons, ai-je déclaré d'une voix fière. Parce que quand j'ai eu des champignons sur le pied, le docteur a dit : « C'est une mycose, madame. » Mycose, ça ressemble à mycologie. Comme sucre et sucrerie.

– Alors tu crois que myco, ça veut dire champignon.

– C'est ça.

– Et les glaces Miko, c'est des glaces aux champignons, peut-être ?

On a ri, mais je savais que j'avais raison.

2/ Qu'est-ce que ça veut dire sadique ?

Samira m'explique qu'un sadique c'est quelqu'un qui aime torturer les autres.

– La torture, c'est horrible, dit-elle. On enfonce des allumettes sous les ongles.

– Pour quoi faire ? je demande.

– Pour faire parler, dit Samira.

– Moi, je parlerais tout de suite, ça fait trop mal.

– Moi non, répond Samira. Si on parle, on est un traître.

Je me demande comment Samira fait pour savoir tant de choses sur la torture. C'est à cause de ses grands frères. Elle m'explique qu'ils l'ont torturée. Je lui demande s'ils lui ont mis des allumettes sous les ongles.

– Oui, dit-elle.

Je sais que c'est un mensonge, mais je la console quand même.

3/ Est-ce que c'est mieux d'être en classe verte avec sa mère ?

Je sais, on a déjà posé cette question, mais il se trouve que nous avons de nouveaux éléments de réponse.

Ce soir, je dis oui. Oui, c'est mieux d'être en classe verte avec sa mère, parce que, comme ça, on ne reçoit pas de lettres débiles qui font rire tout le monde.

Deux Lionel de trop

Ce matin, on a atelier d'écriture. Ça veut dire que pendant trois heures on va devoir faire de l'expression écrite. Raconter des histoires, imaginer des personnages.

– Sujet libre, a dit la maîtresse. Tout ce qui vous passe par la tête. Bien sûr, comme nous sommes à la ferme, vous pouvez vous inspirer des animaux et des travaux des champs. Exceptionnellement vous avez le droit de travailler en petits groupes.

Aussitôt, j'ai pris la main de

Samira. Elle et moi. Moi et elle. Nous décidons de mettre au programme du grand jeu des questions l'énigme suivante : « À partir de combien est-on un groupe ? »

Samira veut écrire un livre qui s'appellera *Le Crépuscule des dinosaures*. Je trouve que c'est un titre magnifique. J'en ai le cœur qui bat. Elle me raconte l'histoire et nous essayons d'en écrire un bout. Mais c'est très compliqué.

Il paraît qu'un jour, alors que les dinosaures étaient bien tranquilles à manger d'autres dinosaures ou des feuilles d'arbres, il y a eu une explosion, ou un volcan ou une météorite qui est tombée sur la terre (Samira

n'est pas très sûre, alors nous décidons de mettre les trois en même temps pour que ça fasse plus tragique). Toutes ces catastrophes ont fait tellement de poussière qu'un gros nuage noir a gonflé dans le ciel. Le soleil a disparu et il s'est mis à faire très froid (moins zéro, dit Samira), si froid, que tous les dinosaures sont morts.

– Morts de froid ? je demande.

– Et de faim, ajoute Samira.

Ce qui me fait encore plus de peine. Le pire, c'est que c'est une histoire vraie.

À onze heures et demie, on avait réussi à écrire trois lignes. C'est la chose la plus fatigante que j'aie faite de ma vie.

Nous décidons de ne pas prendre de dessert au déjeuner par solidarité avec les dinosaures.

L'après-midi, c'est jeu de piste. J'ai horreur de ça. Il faut courir partout et soulever des cailloux pleins de scolopendres. En plus Pedro n'est même pas dans notre équipe. Lorette l'a choisi en premier. Je la déteste et je décide de lui jeter un sort. Angine, verrue, otite.

– Malaria ! me propose Samira qui est aussi assez forte en maladies.

Je pense à Lorette et à toutes les horribles choses qui vont lui arriver pour la punir. En attendant, il faut retrouver la couronne du prince, son épée, le ruban de la princesse,

répondre à la question qu'est-ce qui est vert qui monte et qui descend ? (Personnellement, je croyais que c'était un petit pois dans un ascenseur, mais pas du tout. C'était un martien monté sur ressorts.) Ensuite il faut faire une course de saute-mouton et découvrir le nom du royaume dans lequel le prince et la princesse vont se

marier. Le gagnant sera récompensé par une boîte de chocolats. Mais Samira et moi, nous décidons de chercher des empreintes d'animaux en voie de disparition. Nous perdons au jeu mais nous savons enfin ce que nous voulons faire comme métier plus tard : paléontologue.

On a dû demander à la maîtresse

parce qu'on ne connaissait pas ce mot et elle nous a donné une image chacune, en nous disant :

– C'est bien, les filles.

On se demande si on ne va pas devenir les chouchoutes de Mme Ravier finalement. Pour fêter ça, on décide de manger les tartines du goûter, parce que, de toute façon, les dinosaures sont morts il y a très longtemps et qu'on n'y peut rien.

Dans ma serviette, j'ai trouvé un petit mot plié en quatre. Il y a un cœur et le prénom d'un garçon qui commence par un L.

– Tu as un amoureux, me dit Samira.

– Eh oui ! dis-je en soupirant.

Mais le prénom est si mal écrit qu'on ne sait pas qui c'est.

– Est-ce que tu crois que c'est Pedro ? je demande.

– Non, répond Samira. Pedro, ça commence par un P.

– Peut-être, mais c'est un nom espagnol. En espagnol le P s'écrit peut-être L.

Samira secoue la tête. Elle m'explique que le problème avec l'alphabet, c'est que ça ne change pas si facilement.

Au bout d'un moment, on décide que la deuxième lettre est un i et, là, on n'a plus trop le choix. Ça ne peut pas être Laurent, ni Lamine, ni Léo. C'est forcément Lionel.

– Lionel !

J'aime bien ce nom qui me fait penser à quenelle, mais le problème c'est qu'il y en a trois dans la classe.

– Il y a deux Lionel de trop, dit Samira.

– Qu'est-ce qu'on peut faire ? je demande.

– Il paraît que dans certains pays, on peut avoir plusieurs femmes, dit Samira.

– Plusieurs femmes, peut-être, mais est-ce qu'on peut avoir plusieurs maris ?

L'affaire est grave mais je m'en fiche parce que, finalement, je n'en aime aucun des trois. Moi, c'est Pedro ou rien. Alors je décide d'écrire une lettre à chacun des Lionel pour leur expliquer que c'est impossible, que mon destin m'appelle ailleurs. (Ça, c'est une phrase que Samira a entendue dans un feuilleton.) Je fais un petit brouillon et je décide que je le recopierai le lendemain parce qu'il est déjà huit heures et demie et qu'on doit aller se coucher.

Le jeu des grandes questions dure si longtemps ce soir-là qu'on a l'impression de passer une nuit blanche :

1/ Est-ce qu'on peut changer d'avis sur les garçons et sur les filles ?

– Je crois que oui, dit Samira. Aujourd'hui, Mme Ravier nous a donné une image. C'est la preuve.

2/ Est-ce qu'on peut avoir plusieurs maris ?

Comme c'est trop compliqué, nous

décidons de passer directement à la suivante :

3/ À partir de combien est-on un groupe ?

– Pas de maths, répond Samira.

– Pourtant, c'était facile, lui dis-je. *Le Crépuscule des dinosaures*, on l'a écrit à deux et c'était un travail en groupe. Donc, deux, c'est déjà un groupe.

Je suis un peu meilleure que Samira en maths.

4/ Qu'est-ce qu'on préfère manger ?

Là, ça prend des heures parce qu'il y a tant de choses que nous aimons, comme les saucisses cocktail, la crème Chantilly, les mini-pains au chocolat.

– Les poireaux, dit Samira.

– Non, tu triches, je dis. Personne n’aime les poireaux.

– Bon, alors, les asperges.

– À la limite, dis-je. Mais alors une fois par mois.

Le lendemain matin, on avait de tout petits yeux et mal à la tête.

ATCHOUM

Le rhume de cerveau

Ce matin, un des trois Lionel s'est pris le doigt dans la porte de la salle à manger. Je me suis demandé s'il ne fallait pas que je tombe amoureuse de lui. Il a hurlé, il est devenu tout blanc, et quand il a retiré sa main, il y avait de la bouillie de sang partout, comme de la sauce de raviolis.

– Moi, j'aurais cru que ça giclerait, a dit Samira.

Tous les enfants étaient collés en rond autour de Lionel qui avait la bouche grande ouverte et les yeux effrayés. Il tenait sa main rouge avec sa main blanche et sautillait d'un pied sur l'autre.

Quand Mme Ravier est arrivée, elle nous a bousculés. Bertrand est tombé sur Lorette, qui s'est accrochée à la manche de Pedro, alors Pedro a perdu l'équilibre. En voulant se retenir, il a fait un croche-pied à Ismaël qui est tombé le nez contre les genoux de l'autre Lionel.

– Poussez-vous, les enfants ! Poussez-vous, bon sang !

Ceux qui étaient par terre ne se sont pas relevés assez vite ; ils ont donc été piétinés par ceux qui se poussaient pour obéir à la maîtresse. Comme dit mon papi, c'était un vrai tohu-bohu.

– Ça me donne une idée pour *Le Crépuscule des dinosaures*, a chuchoté Samira.

Pendant ce temps-là, le Lionel à la main blessée ne bougeait toujours pas. Son visage était de plus en plus pâle, j'ai cru qu'il allait s'effacer. Il faisait un drôle de bruit, comme un chien sans collier qu'on a jeté d'une voiture et qui s'est cassé la patte en atterrissant sur le bord de la route.

– Vraiment, Samira, j'ai dit. Tu ne crois pas que je suis obligée d'être amoureuse de lui maintenant.

– Je ne sais pas, mais ça me donne une autre idée pour *Le Crépuscule des dinosaures*.

Je lui ai rappelé que son livre,

enfin, notre livre, était surtout un roman d'aventures.

– Il n'y a que l'amour qui intéresse les gens, m'a-t-elle répondu.

J'ai regardé Pedro, pour voir si c'était vrai. Mais il avait l'air de s'intéresser aux traces de sang sur le mur plutôt qu'à moi.

Ce qui s'est passé ensuite est incroyable et pourtant vrai. Vous qui n'avez jamais vu Mme Ravier, vous ne pouvez pas vous en rendre compte, mais essayez d'imaginer : notre maîtresse est minuscule, elle a à peine une tête de plus que moi et elle a un tout petit corps maigroulet. Sa tête est très grosse. En fait, on dirait une sucette. Eh bien! cette sucette a pris Lionel

dans ses bras, Lionel blessé qui est justement le plus grand et le plus lourd de tous les Lionel, et elle l'a emmené jusqu'à la salle de bains pendant que Dora appelait les pompiers.

On voyait bien que c'était beaucoup trop pour elle. Ses chevilles se tordaient sur ses hauts talons et elle soufflait, tous les trois pas, comme si son cœur allait s'arrêter de battre.

Lionel était complètement ramolli et immense. J'ai pensé aux fourmis qu'on voit parfois entre les brins d'herbe et qui portent des miettes de pain trois fois grosses comme elles.

Les pompiers ont été très gentils. Leurs uniformes étaient si beaux. Ils souriaient tout le temps et nous faisaient des blagues. Plus rien n'avait l'air grave. Ils ont même réussi à faire rigoler Lionel en lui disant qu'ils allaient lui remplacer son doigt par un crochet spécial ultra-fort commandé par ordinateur qui ferait tous ses devoirs automatiquement.

Au déjeuner, tout le monde parlait de ça, des pompiers, du crochet et de

Lionel avec son énorme pansement qui était devenu le héros de la journée. J'ai remarqué que les deux autres Lionel étaient beaucoup moins en forme, surtout celui en vert, et je me suis demandé si ce n'était pas la preuve que c'était lui mon amoureux.

Alors que je voulais en parler à Samira, on m'a appelée au téléphone. Je me sentais bizarre d'aller répondre moi-même. Je n'ai pas l'habitude. C'était mon père et je ne savais pas quoi lui dire. Je tremblais. Ma voix était tordue et j'avais les mains qui transpiraient.

– Alors, qu'est-ce que tu racontes, mon petit bouchon ?

– Ben, rien de spécial.

J'aurais pu lui décrire le doigt de Lionel, l'uniforme des pompiers, mais je n'osais pas. J'étais très timide, comme si je ne le connaissais pas.

– J'appelais juste pour avoir des nouvelles de ma petite mimolette.

– Ça va bien, et vous ?

– Moi et ton frère c'est la frite, en revanche maman a un rhume de cerveau.

Il m'a fait un bisou et il a raccroché, même pas triste.

Je me suis évanouie. Enfin, j'ai essayé de m'évanouir. J'ai aussi essayé de pleurer mais ça n'a pas marché non plus. Mme Ravier, qui voyait que j'étais paralysée, m'a demandé ce qui se passait. Elle était de bonne humeur depuis qu'elle avait sauvé Lionel. Elle m'a regardée très gentiment et j'ai pensé à maman.

– Maman, j'ai crié.

Et je me suis mise à pleurer.

Mme Ravier m'a tapoté l'épaule et m'a dit :

– Allez, calme-toi, tu vas la revoir, ta mère.

Je me suis mise à courir en la haïssant parce qu'elle ne comprenait rien et que, justement, ma mère, je ne la reverrais peut-être plus jamais.

– Un rhume de cerveau ? a répété Samira.

– Oui, c'est exactement ce qu'il a dit.

– Tu es sûre que tu as bien

entendu ? Parce qu'un rhume, c'est pas grave, mais de cerveau !

– Il n'était même pas triste, ai-je ajouté. Tu crois qu'il ne l'aime plus ?

– Ça, j'en sais rien ! Peut-être qu'il ne voulait pas que tu t'inquiètes.

– Samira, tu crois que ma mère va mourir ?

– Écoute, Léna. Peut-être. Mais il y a une chose à laquelle tu dois toujours penser. C'est que la mère de Bambi, la mère de Blanche-Neige, la mère de Cendrillon, enfin, toutes les mères intéressantes quoi, sont mortes jeunes.

Après cette conversation j'ai beaucoup pleuré. J'ai même tellement pleuré que Lionel blessé est venu me voir pour me dire que ce n'était pas si grave que ça et qu'il pouvait déjà bouger son doigt.

– C'est lui ton amoureux, m'a dit Samira. C'est pas celui en vert.

– De toute façon, je m'en fiche, ai-je répondu. Si ma mère meurt, je ne me marierai jamais.

Le jeu des grandes questions a été particulièrement triste à la fin de cette journée particulièrement triste elle aussi plutôt :

1/ Combien de temps met-on à mourir d'un rhume de cerveau ?

– Je dirais, entre deux semaines et six mois, a fait Samira d'un air de connaisseur.

– Donc j'aurai le temps de la revoir. Ce n'est pas la peine que je rentre en urgence.

– Pas la peine.

2/ Est-ce que ça fait mal ?

– Horriblement, ça doit faire horriblement mal, ai-je dit avant de me mettre à pleurer.

– Je ne crois pas, a fait Samira, en me caressant la main. Parce que c'est dans le cerveau qu'il y a tous les nerfs. Si le cerveau est atteint, les nerfs sont détruits et donc on ne sent plus la douleur. Je crois même que ta mère

n'aura pas mal du tout. Même si on la pince ou qu'elle se fait mordre par un chien.

Cette idée m'a consolée.

3/ Est-ce qu'on devient débile ?

– Là, a dit Samira, je crois malheureusement que la réponse est évidente.

– Tu as raison. Maman va forcément devenir de plus en plus bête. Mais, tu sais, je l'aimerai quand même.

– Même quand elle ne pourra plus parler et qu'elle rira comme un gros bébé.

– OUI ! Ma mère sera toujours ma mère.

Cette fois, c'est Samira qui a pleuré.

4/ Une fois qu'on est mort, qu'est-ce qui se passe ?

Alors, là, mystère et boule de gomme. Nous n'avions aucune idée, à part l'enterrement.

– Il y a Dieu, m'a signalé Samira.

– Ah oui, Dieu. Mais ça n'explique pas grand-chose.

– Les anges ? a proposé Samira.

– J'y crois pas, moi.

– Alors, je sais pas. Tu n'auras qu'à demander à ta mère.

– Avant qu'elle devienne débile, ai-je dit.

On a tellement ri qu'on avait mal au ventre. Je sais que je n'aurais pas dû et qu'il n'y avait rien de drôle dans tout ça. Mais c'était un rire nerveux.

buba

Les prénoms

Au courrier, il y a une lettre de ma mère. L'écriture n'a pas changé. C'est rassurant. Je montre l'enveloppe à Samira qui est d'accord avec moi.

– La maladie n'a pas encore atteint le centre de l'écriture, me dit-elle.

– Tu crois qu'il y a carrément un centre de l'écriture dans la tête ?

– Il y a un centre pour tout, pour écrire, pour manger, même pour faire pipi.

Moi je trouve que c'est du gaspillage parce que, à part écrire, le reste est tellement naturel qu'on n'a pas besoin d'un centre dans le cerveau pour que ça fonctionne.

Je n'ai pas envie que ça recommence comme la dernière fois, la maîtresse qui monte sur sa chaise et qui lit tout fort. Surtout que je n'ai aucune idée de ce qu'il y a dans cette lettre. Si maman a déjà commencé à devenir débile, elle fera peut-être comme mon petit frère.

Mon petit frère a l'air tout à fait normal, calme, gentil et, tout à coup, personne ne sait pourquoi, il dit caca-boudin et des trucs idiots comme ça.

Il faut pourtant que je sache ce qu'elle raconte, cette lettre, alors je demande à Dora, la dame de service, parce que c'est une spécialiste des missions délicates. Par exemple, le jour où mon pantalon a craqué pendant la récré, c'est elle qui s'est occupée de le recoudre à toute vitesse pour que personne ne s'en rende compte.

– Elle te manque, ta maman ? me demande Dora.

J'ai sûrement dû faire une drôle de tête en lui tendant la lettre.

– Oui, un peu.

J'ai du mal à ne pas pleurer. Samira qui est derrière moi, me pose la main sur l'épaule.

– Alors, voyons voir, fait Dora en déchirant l'enveloppe. Tiens, ça c'est mignon alors ! C'est vraiment une bonne idée ! Elle est marrante ta maman.

C'est affreux, j'ai envie de lui dire de s'arrêter, de ne pas sourire comme ça en regardant les imbécillités que ma pauvre mère a écrites.

– Qu'est-ce qu'il y a marqué, je demande d'une voix minuscule.

– C'est une chanson, répond Dora.

Et elle se met à chanter en me regardant dans les yeux :

À la claire fontaine
M'en allant promener
J'ai trouvé l'eau si belle
Que je m'y suis baignée
Il y a longtemps que je t'aime
Jamais je ne t'oublierai.

Je ne la laisse pas finir. Je lui arrache la lettre et je pars en courant. C'est ma chanson du soir, celle que maman me chante pour m'endormir. La même chanson depuis que je suis bébé et c'est tout ce qui lui reste. Elle ne sait même plus faire une phrase normale. C'est tellement affreux, tellement triste, que j'ai l'impression de m'enfoncer dans un tunnel immense, noir, sans fin. Je sens que personne, jamais, ne pourra me consoler.

Samira me court après. Je sors dans le jardin et je vais m'asseoir derrière la porte de la maison des cochons.

C'est un endroit que j'aime bien. Ça sent mauvais mais c'est joli. Il y a des coucous jaunes qui poussent partout et du foin qui déborde. Je prends

un brin de paille et je le mâchouille en pleurant.

– C'est ma faute, dis-je avec une voix déformée. Je n'aurais pas dû lui répondre. Comme j'avais la flemme d'écrire, je lui ai fait un dessin. Ça l'a fatiguée, j'en suis sûre. Il était très compliqué et ma mère est spéciale avec ça. Elle regarde toujours mes dessins pendant très longtemps en réfléchissant très fort. C'est ma lettre qui l'a achevée.

Samira m'a fait un bouquet. Elle ne sait pas quoi dire. Elle me donne les fleurs et se remet à parler du *Crépuscule des dinosaures*.

– Ce que je trouve bien dans notre livre, dit-elle, c'est qu'on peut tout

inventer parce que personne ne sait comment c'était au temps des dinosaures.

Au début, je ne l'écoute pas vraiment et puis, peu à peu, je m'intéresse à ce qu'elle dit. Les larmes arrêtent de couler et je m'imagine les tricératops, les ankylosaures, les ptérodactyles. C'est très beau. Ils poussent des hurlements, sautent, volent. Il y en a partout. Sur la terre, dans le ciel.

– Je crois qu'il faudrait aussi qu'on mette des trucs drôles dans notre histoire, continue Samira. Par exemple, j'ai pensé qu'un des chapitres pourrait s'appeler « Diplodocusaculotte ».

Je souris à peine. Samira le voit du coin de l'œil et répète :

– Diplodocusaculotte. Qu'est-ce que tu en penses ?

Je ris et quand j'entends Samira rire aussi, je ne peux plus m'arrêter.

En classe, j'oublie tout parce

qu'on étudie un sujet passionnant : les noms. Les noms communs, les noms propres, les noms de personne. J'apprends qu'on peut avoir plusieurs prénoms. Moi, je n'en ai qu'un ; je m'appelle Léna, tout court.

– Ah bon, tu n'étais pas au courant ? me dit Samira.

– Non, pourquoi ? Toi tu le savais ?

– Bien sûr. Moi, je m'appelle Samira, Linda, Yasmina.

– Tu crois que Pedro a plusieurs prénoms ?

– C'est certain, répond Samira. La plupart des gens en ont trois.

La maîtresse demande aux enfants, chacun leur tour, de donner leurs noms secrets. Il y en a de très bizarres, des vieux, des qu'on n'entend jamais, comme Lucien, Albert, Hugues, Honorine, Leslie, Berthe.

– Et toi, Pedro ? demande la maîtresse.

Pedro ne veut pas répondre.

– Ne sois pas timide, mon grand, dis-le-nous. Tout le monde a envie de savoir. Pas vrai, les enfants ?

Tous les élèves se mettent à crier :

– Pedro, tes prénoms ! Pedro, tes prénoms !

Il est bien obligé, alors il rougit et dit très vite :

– Lionel, Ermano.

Samira n'en revient pas.

– C'est lui, c'est sûr, me dit-elle dans l'oreille.

Je deviens rouge moi aussi et je

me dis que je vais peut-être mourir d'amour avant que ma mère ne meure de bêtise.

C'est le dernier soir pour le jeu des grandes questions. Demain on rentre à Paris. Je suis heureuse et malheureuse en même temps. J'aimerais bien écrire un petit mot à Pedro-Lionel, mais je trouve que ce n'est pas correct vu que ma mère est malade.

1/ Est-ce que, si on ne répond pas à un amoureux, il arrête de vous aimer ?

– Bien sûr que non, dit Samira. Au contraire.

– Comment tu sais ?

– Quand Bertrand m'a dit qu'il était amoureux de moi, je n'ai pas dit

« moi aussi ». Eh bien, il m'aime toujours.

– C'était en CP, Samira. Il a peut-être changé d'avis depuis.

Samira se gratte le menton. Elle n'y avait pas pensé.

– Peut-être que je vais lui écrire un petit mot, dit-elle.

2/ Existe-t-il un médicament qui soigne le rhume de cerveau ?

Nous n'avons pas de réponse. Mais dire le mot « médicament » nous fait

beaucoup de bien. Nous le répétons huit fois parce que le huit est le chiffre porte-bonheur de Samira.

3/ Est-ce que c'était bien, finalement, cette classe verte ?

On s'est endormies avant d'avoir fini de répondre parce qu'on a décidé de se raconter tout ce qui s'était passé depuis le début. Je ne me rappelle plus à quel moment j'ai fermé les yeux pour de bon.

Atchoum

Dans le car, on a chanté des chansons, toute celles qu'on connaissait depuis le CP. Mme Ravier avait pris le micro du chauffeur et nous encourageait. Elle a une très belle voix. Avant ce jour, je ne l'avais pas remarqué. Une voix grave et métallique. Je me suis demandé si je ne l'avais pas mal jugée.

Je n'ai jamais tellement aimé ma maîtresse, parce qu'elle est dure et qu'elle plaisante avec des choses sérieuses. Elle nous regarde avec ses petits yeux pointus et on a l'impression qu'elle nous transperce. Sauf que, finalement, elle a beaucoup de qualités. Je propose à Samira comme activité du week-end de faire la liste de toutes les qualités de Mme Ravier.

– On apporte chacune la sienne lundi matin en classe.

– Comme ça on pourra vraiment décider si on l'aime ou non, précise Samira.

J'ai sommeil. Je n'ai jamais passé de vacances aussi fatigantes.

– C'est parce que ce n'étaient pas vraiment des vacances, me rappelle Samira.

J'ai mal partout. Comme quand je fais une crise de croissance. Ça tire dans les genoux et dans les coudes.

Sauf que, cette fois, ça tire aussi dans ma tête. Je chantonne en grignotant mon bout de pain. Je pense que c'est le pain de la ferme et je me rends compte que je n'ai pas dit au revoir aux animaux. Je revois les lapins blancs aux yeux rouges dans leurs cages suspendues, la famille cochon dans son enclos, les poules et les oies, les biquettes qui mangeaient des biscuits dans nos mains. J'aimerais habiter à la campagne. Mais si j'habitais à la campagne, je n'aurais plus ma chambre avec mon lit superposé et le parachutiste accroché au plafond. J'ai envie qu'on arrive tout de suite et, en même temps, j'ai peur.

– Tu crois que ma mère sera là ? dis-je à Samira.

– Sûrement.

– Peut-être qu'elle aura pris des médicaments.

– Peut-être qu'elle sera guérie, ajoute Samira, enthousiaste.

J'aimerais la croire, mais j'ai le cœur si lourd que je n'y arrive pas.

On sort de l'autoroute et on arrive à Paris. Les maisons ont l'air trop grandes et trop serrées. Il y a du bruit et de la fumée, des klaxons, des motos, des sirènes de pompiers. Je sais que tout ce bruit est désagréable, qu'il nous casse les oreilles. Je sais que l'air est sale, plein de pollution, et les trottoirs couverts de crottes de chien. Pourtant, je me sens de mieux en mieux. C'est chez moi. C'est ma ville.

L'école est au bout de la rue et, sur le trottoir, il y a tous les parents. Ils agitent les mains, sourient, certains sautent et se bousculent pour mieux nous voir arriver. J'ai repéré la mère de Samira et un de ses grands frères qui porte un drapeau du Maroc. Au moment où nous nous garons, je vois enfin mes parents. Ils sont côte à côte. Mon père porte mon frère sur ses épaules et ma mère a un journal sous le bras. Ma mère adore lire le journal, c'est ça qui la rend très intelligente. Enfin, plutôt, c'est ça qui la rendait très intelligente. Maintenant, si ça se trouve, elle ne sait même plus lire.

– Regarde, dis-je à Samira en la montrant du doigt, elle a un journal sous le bras.

– Sûrement que c'est ton père qui le lui a coincé là pour qu'elle ait l'air normal.

Et ça marche. Elle a vraiment l'air de ma maman d'avant, sauf qu'elle a le nez rouge et une énorme écharpe qui cache son sourire.

Lorsque les portes s'ouvrent, on se

précipite vers la sortie. Sur les marches du car, je me retrouve collée à Pedro. Il me touche la main sans me regarder et je pense à ce qu'avait dit ma mère en le voyant pour la première fois. C'est un crime d'être beau comme ça.

Les mamans, les papas ouvrent les bras tout grands et nous courons vers

eux. La mère de Samira est à côté de la mienne.

Juste avant de les atteindre, Samira me dit :

– Il va falloir que tu sois très forte.

Je hoche la tête et je me rue dans les bras de ma mère qui sent bon et qui est toute douillette.

– Ma chouchounette, ma mimolette, ma dibidou.

Elle m'embrasse partout en reniflant, me serre si fort que je ne peux plus respirer.

Tout à coup, Samira se plante devant nous et demande d'une voix très forte :

– C'est quoi au fait un rhume de cerveau ?

– Atchoum !

Ma mère éternue si fort, qu'elle me

lâche. Je tombe contre les jambes de mon père qui me caresse la tête et me regarde gentiment.

– Atchoum ! refait ma mère. C'est ça, dit-elle en sortant de sa poche un mouchoir en papier.

Samira et moi, on n'y comprend rien.

Ma mère montre son nez rouge et, juste avant d'éternuer une troisième fois, dit :

– C'est ça, juste un très gros rhume.

Samira a l'air encore plus soulagée que moi. Elle donne la main à sa mère et me fait une tête de débile, avec les yeux qui louchent et la langue qui pend.

Finalement, c'était vraiment très bien cette classe verte.

Table